TARTINES & BLINIS

LAROUSSE

21 rue du Montparnasse 75283 Paris Cedex 06

SOMMAIRE

Voici l'occasion idéale d'utiliser les sels aromatisés que vous avez stockés dans votre placard !

Crackers suédois maison

POUR 6 PERSONNES

PRÉPARATION : 20 MIN

CUISSON : 10 MIN

> 300 g de farine de seigle

> 1/2 cuill. à café de sel

> 1 cuill. à café de sucre en poudre

> 1/2 sachet de levure chimique

> 1 pincée de graines de sésame ou de pavot, de fleur de sel ou de romarin finement haché

1. Préchauffez le four à 200 °C (therm. 6-7). Dans un saladier, mélangez la farine avec le sel, le sucre et la levure. Ajoutez 20 cl d'eau, puis pétrissez jusqu'à obtention d'une boule lisse. Séparez celle-ci en pâtons, puis, à l'aide d'un rouleau à pâtisserie, étalez chaque pâton le plus finement possible sur un plan de travail fariné. Parsemez de graines ou d'herbes de votre choix, puis passez une fois de plus le rouleau pour bien les faire adhérer.

2. Étalez les disques de pâte sur une feuille de papier sulfurisé, puis enfournez pour 10 minutes jusqu'à ce qu'ils soient bien croustillants.

3. Cassez les crackers et servez-les avec du guacamole ou un dip au poivron (voir p. 14).

Bruschettas aux légumes confits

POUR 12 BRUSCHETTAS
PRÉPARATION : 25 MIN
CUISSON : 35 MIN

> 1 poivron rouge
> 1 courgette
> 1 bulbe de fenouil
> 3 cuill. à soupe d'huile d'olive + 1 filet pour servir
> 1 branche de romarin
> 2 gousses d'ail
> 12 tranches de pain de campagne ou au levain
> sel et poivre du moulin

1. Préchauffez le four à 220 °C (therm 7-8). Lavez et séchez les légumes. Coupez le poivron en deux, épépinez-le et ôtez les membranes blanches, puis détaillez chaque moitié en petits morceaux. Coupez la courgette en fines rondelles Raccourcissez la tige du fenouil, coupez le bulbe en rondelles et hachez les feuilles. Dans un plat non métallique, versez l'huile d'olive, puis déposez-y les légumes et le romarin. Enfournez pour 10 minutes, puis baissez la température du four à 180 °C (therm. 6) et prolongez la cuisson de 25 minutes.

2. Pendant ce temps, pelez les gousses d'ail, puis écrasez-les en incorporant 1 filet d'huile d'olive. Tartinez les tranches de pain de cette préparation et disposez dessus les légumes confits. Salez, poivrez, puis servez.

Voici la star des terrasses des bodegas espagnoles. Vous n'aurez pratiquement rien à faire et vous aurez un succès fou !

Bruschettas espagnoles

POUR 12 BRUSCHETTAS

PRÉPARATION : 15 MIN

> 1 baguette de pain
> 2 gousses d'ail
> 5 tomates bien mûres
> 6 cuill. à soupe d'huile d'olive
> sel et poivre du moulin

1. Préchauffez le gril du four. Coupez 12 tranches de baguette de 1,5 cm d'épaisseur et faites-les dorer 2 minutes au four.

2. Pelez les gousses d'ail et coupez-les en deux dans la longueur, puis frottez-les longuement sur la surface de chaque tartine.

3. Coupez les tomates en deux et frottez-les sur la surface de chaque tartine de façon à ce qu'elles laissent un maximum de pulpe sur le pain. Salez, poivrez, puis arrosez d'huile d'olive et servez aussitôt.

Toasts au caviar d'aubergine

POUR 12 TOASTS
PRÉPARATION : 35 MIN
CUISSON : 35 MIN
REPOS : 30 MIN

> 2 gousses d'ail
> 4 aubergines
> 1 branche de thym
> 3 oignons
> 1 cuill. à café de marjolaine
> 1 cuill. à café de coriandre
> 15 olives noires
> 15 cl d'huile d'olive
> 1 cuill. à café de cumin en poudre
> 1 cuill. à café de paprika
> le jus de 1/2 citron
> 1 pincée de piment en poudre
> 6 tranches de pain de mie aux céréales
> quelques feuilles de persil plat
> sel et poivre du moulin

1. Préchauffez le four à 200 °C (therm. 6-7). Écrasez les gousses d'ail. Rincez et piquez les aubergines avec une fourchette. Disposez-les dans une feuille d'aluminium, salez, poivrez, ajoutez l'ail et le thym, puis fermez la papillote et enfournez pour 30 minutes.

2. Laissez les aubergines refroidir sur une grille, puis coupez-les en deux, prélevez la chair à l'aide d'une cuillère et déposez-la dans une passoire. Laissez reposer 30 minutes.

3. Hachez les oignons ainsi que les herbes. Dénoyautez les olives et coupez-les en dés. À l'aide d'une fourchette, réduisez la chair des aubergines en purée. Dans une poêle, faites chauffer 3 cuillerées à soupe d'huile d'olive, puis faites revenir les oignons 5 minutes. Saupoudrez de cumin et de paprika, puis incorporez ce mélange à la purée d'aubergine. Ajoutez les olives, la marjolaine et la coriandre. Versez le reste d'huile d'olive et le jus de citron. Salez, poivrez, saupoudrez de piment, puis mélangez. Toastez les tranches de pain, puis coupez-les en triangles. Tartinez-les de caviar d'aubergine frais, parsemez de persil plat et servez.

Le pain pita est un pain libanais creux et donc facile à garnir. Dans cette recette, il est utilisé comme simple tartine préalablement réchauffée. Si vous voulez une tartine plus croustillante, laissez les pains pitas au four plus longtemps, afin de les faire dorer et légèrement durcir.

Pitas aux radis roses

POUR 12 PITAS

PRÉPARATION : 35 MIN

> 6 pains pitas
> 1 petit piment rouge
> 6 cuill. à soupe de fromage blanc épais
> 6 cuill. à soupe de crème fraîche épaisse
> 1 cuill. à soupe de vinaigre balsamique
> 1 grosse carotte
> 1 petite botte de radis roses
> 100 g de tomates cerises
> 1/2 botte de cerfeuil
> 3 cuill. à soupe d'huile d'olive
> sel et poivre du moulin

1. Préchauffez le four à 180 °C (therm. 6). Découpez les pains pitas en rectangles, puis coupez-les à nouveau en deux, afin d'obtenir 2 bandes de pain. Humidifiez-les légèrement avec un peu d'eau et faites-les chauffer 3 minutes au four.

2. Coupez le piment en rondelles, puis épépinez-le. Dans un bol, rassemblez le fromage blanc, la crème fraîche, le vinaigre, les rondelles de piment, salez et poivrez, puis mélangez délicatement. Tartinez-en les pains pitas, puis réservez.

3. Épluchez la carotte, puis à l'aide d'un couteau Économe, taillez-la en lamelles. Lavez les radis et émincez-les très finement. Coupez les tomates cerises en quatre. Effeuillez le cerfeuil. Répartissez les légumes et le cerfeuil sur les pains pitas, salez et poivrez, puis arrosez d'huile d'olive. Servez sans attendre.

Vous pouvez remplacer les poivrons par une grosse aubergine et procéder de la même manière.

Mouillettes et dip au poivron

POUR 24 MOUILLETTES

PRÉPARATION : 35 MIN

> 3 poivrons rouges
> 6 gousses d'ail
> 1 pain aux céréales ou aux olives
> 200 g de chèvre frais
> 4 cuill. à soupe d'huile d'olive
> 1/2 cuill à café de paprika ou de piment d'Espelette
> sel et poivre du moulin

1. Préchauffez le four à 220 °C (therm. 7-8), puis enfournez les poivrons pour 10 minutes. Retournez-les régulièrement. Ajoutez les gousses d'ail et prolongez la cuisson 10 minutes environ, jusqu'à ce que la peau des poivrons soit noire. Mettez les légumes à refroidir dans un saladier muni d'un couvercle, puis pelez-les et épépinez les poivrons.

2. Coupez le pain en mouillettes. Dans le bol d'un robot, mixez le poivron et l'ail avec le fromage frais en ajoutant l'huile d'olive en filet. Salez, poivrez et saupoudrez de paprika. Servez les mouillettes et le dip ensemble.

Des petits canapés printaniers et frais pour patienter en attendant le dîner.

Blinis au fromage frais, aux fèves et au piment

POUR 12 MINI-BLINIS
PRÉPARATION : 20 MIN

- > 140 g de fèves écossées
- > 4 oignons nouveaux
- > 12 mini-blinis
- > 50 g de fromage frais à tartiner
- > 1 cuill. à café de piment d'Espelette en poudre
- > 1 filet d'huile d'olive
- > sel et poivre du moulin

1. Portez à ébullition une grande casserole d'eau salée. Faites cuire les fèves 3 minutes, puis passez-les à l'eau fraîche. Émincez finement les oignons nouveaux.

2. Faites tiédir les blinis sous le gril du four, puis tartinez-les de fromage frais. Parsemez de fèves et d'oignons, puis saupoudrez de piment d'Espelette. Salez, poivrez, arrosez d'huile d'olive, puis servez.

Des arômes qui évoquent l'Italie, un mariage subtil de parfums à déguster sur une tranche de pain grillé aux fruits secs ou aux céréales.

Tartines de ricotta et de gorgonzola aux noix

POUR 12 TARTINES

PRÉPARATION : 15 MIN

> 50 g de noix
> 3 tiges de basilic
> 3 brins de persil
> 100 g de ricotta
> 100 g de gorgonzola
> 12 tranches de pain aux raisins
> 1 filet d'huile d'olive
> sel et poivre du moulin

1. Préchauffez le gril du four. À l'aide d'un gros couteau concassez les noix. Hachez finement le basilic et le persil. Dans un saladier, mélangez la ricotta avec le gorgonzola, puis incorporez les noix, le persil et le basilic. Salez et poivrez.

2. Placez les tranches de pain sous le gril du four jusqu'à ce qu'elles soient dorées.

3. Recouvrez-les de la préparation à la ricotta et au gorgonzola, versez l'huile d'olive et servez aussitôt.

Faciles et rapides à préparer, ces canapés raviront vos convives !

Canapés au raifort et au radis noir

POUR 12 CANAPÉS

PRÉPARATION : 10 MIN

> 1/2 concombre
> 1/2 radis noir
> 30 g de raifort
> 30 g de fromage frais à tartiner
> 12 mini-toasts
> 1 cuill. à café de baies roses

1. Lavez le concombre et le radis noir, puis, à l'aide d'une mandoline, découpez-les en fines tranches. Mélangez ensemble le raifort et le fromage frais.

2. Tartinez les mini-toasts de cette préparation. Garnissez-les de 2 rondelles de concombre et de 1 rondelle de radis noir, parsemez de baies roses et servez.

Une tartine à déguster chaude, sans hésitation ! Variez les pains : pain noir, pain aux céréales ou naan (pain indien) par exemple.

Pitas au potimarron rôti au cantal

POUR 12 PITAS

PRÉPARATION : 15 MIN

CUISSON : 10 À 15 MIN

- > 1/2 potimarron
- > 15 g de beurre
- > 200 g de cantal
- > 3 pains pitas
- > 2 cuill. à soupe d'huile de noix
- > sel et poivre du moulin

1. Préchauffez le four à 200 °C (therm. 6-7). Épluchez le potimarron, épépinez-le, puis détaillez-le en fines tranches. Dans une grande poêle, faites chauffer le beurre, puis faites revenir les tranches de potimarron sur les deux faces pendant 3 ou 4 minutes.

2. Râpez le cantal. Coupez chaque pain pita en quatre morceaux et répartissez-y le cantal râpé. Disposez les tranches de potimarron, salez et poivrez, puis enfournez et faites cuire de 5 à 10 minutes, jusqu'à ce que le fromage ait fondu.

3. Arrosez les tartines d'huile de noix et servez sans attendre.

Si les poires ne sont pas assez mûres, faites-les dorer 5 minutes dans une poêle avec 30 g de beurre et 3 cuillerées à soupe de sucre en poudre.

Bruschettas au gorgonzola, au céleri et à la poire

POUR 12 BRUSCHETTAS

PRÉPARATION : 20 MIN

- > 1 pain de campagne de 250 g
- > 2 branches de céleri avec les feuilles
- > 2 poires bien mûres (conférences ou williams)
- > 200 g de gorgonzola
- > poivre du moulin

1. Préchauffez le gril du four. Coupez le pain en 12 tranches épaisses et passez-les 5 minutes sous le gril, jusqu'à ce qu'elles soient légèrement dorées.

2. Lavez le céleri. Ôtez les feuilles et ciselez-les. Enlevez les grands fils le long des tiges et coupez celles-ci en rondelles. Pelez et épépinez les poires, puis coupez-les en fines lamelles.

3. Étalez une couche épaisse de gorgonzola sur chaque tranche de pain. Disposez dessus 2 lamelles de poire. Parsemez de rondelles et de feuilles de céleri. Poivrez, puis servez.

Les graines germées apportent fraîcheur, goût et légèreté lorsqu'elles sont utilisées avec délicatesse.

Crackers à l'avocat et au mascarpone

POUR 12 CRACKERS

PRÉPARATION : 20 MIN

> 4 cuill. à soupe de graines de courge
> 6 cuill. à soupe de mascarpone
> 6 cuill. à soupe de fromage blanc
> 3 cuill. à soupe d'huile d'olive
> 12 crackers de votre choix (au sarrasin par exemple)
> 3 avocats bien mûrs
> le jus de 1 citron
> 75 g de graines germées (de poireaux et de radis par exemple)
> sel et poivre du moulin

1. Dans une poêle antiadhésive, faites revenir les graines de courge, puis réservez.

2. Dans un saladier, réunissez le mascarpone, le fromage blanc et l'huile d'olive. Assaisonnez de sel et de poivre, puis mélangez bien le tout.

3. Tartinez généreusement les crackers de la préparation. Coupez les avocats en deux, puis jetez la peau et le noyau. Détaillez la chair en fines lamelles et arrosez-les du jus de citron. Répartissez-les sur les crackers, puis déposez une pincée de graines germées sur le dessus. Parsemez de graines de courge, salez, poivrez et servez sans attendre.

Les œufs de caille habillent de façon très élégante ces délicieuses tartines.

Tartines d'œufs de caille et de poireau frit

POUR 12 TARTINES
PRÉPARATION : 15 MIN
CUISSON : 10 MIN

- > 1 pain aux céréales
- > 40 g de beurre
- > 1 blanc de poireau
- > 3 cuill. à soupe d'huile de pépins de raisin
- > 12 œufs de caille
- > sel et poivre du moulin

1. Préchauffez le gril du four. Découpez le pain en larges tranches, puis enfournez pour 5 minutes, jusqu'à ce qu'elles soient légèrement dorées. Laissez-les refroidir, puis tartinez-les de la moitié du beurre.

2. Coupez le blanc de poireau dans la longueur en deux ou trois tronçons, puis en très fines lamelles. Dans une poêle, faites chauffer l'huile de pépins de raisin, puis faites frire les lamelles de poireau 5 minutes. Déposez-les sur du papier absorbant et réservez.

3. Dans une autre poêle, faites fondre le beurre restant, cassez les œufs de caille et faites-les cuire au plat. Salez et poivrez. Disposez les œufs sur les tartines beurrées, parsemez de poireau frit et servez.

Selon la saison, n'hésitez pas à remplacer les fruits secs par des fruits frais : abricots, figues ou prunes.

Tartines de jambon de Parme à la ricotta

POUR 12 TARTINES

PRÉPARATION : 25 MIN

> 6 tranches de jambon de Parme
> 12 abricots secs moelleux
> 12 figues sèches
> 6 pruneaux secs
> 250 g de ricotta
> 1 cuill. à soupe de vinaigre balsamique
> 1 cuill. à soupe d'huile de noisette
> 50 g de noisettes
> 12 tranches de pain aux fruits secs
> 3 cuill. à soupe d'huile d'olive
> sel et poivre du moulin

1. Préchauffez le gril du four. Coupez les tranches de jambon en deux dans la longueur, puis détaillez grossièrement les abricots, les figues et les pruneaux en morceaux.

2. Dans un bol, fouettez la ricotta avec une fourchette, salez et poivrez. Versez le vinaigre balsamique et l'huile de noisette, puis mélangez bien le tout.

3. À l'aide d'un gros couteau concassez grossièrement les noisettes puis, dans une poêle antiadhésive, faites-les griller à feu vif pendant 3 minutes.

4. Placez les tartines sous le gril du four jusqu'à ce qu'elles soient dorées, puis garnissez-les de la préparation à la ricotta. Parsemez de noisettes, déposez une demi-tranche de jambon sur chaque tartine et répartissez les morceaux de fruits. Salez, poivrez et, au moment de servir, arrosez chaque tartine d'huile d'olive.

Cette recette savoureuse est très simple à réaliser. Crème d'artichaut et chorizo : un mariage réussi à tester absolument !

Tartines de crème d'artichaut au chorizo

POUR 12 TARTINES
PRÉPARATION : 15 MIN

> 200 g d'artichauts à l'huile d'olive
> 1 chorizo
> 12 tranches de pain de campagne
> quelques brins de ciboulette
> sel et poivre du moulin (facultatif)

1. Égouttez les artichauts. Dans le bol d'un robot, mixez-les jusqu'à obtention d'une crème épaisse et rectifiez l'assaisonnement, si nécessaire. Coupez le chorizo en tranches fines.

2. Faites dorer les tranches de pain sous le gril du four. Garnissez les tartines de la crème d'artichaut, disposez les rondelles de chorizo, puis parsemez de quelques brins de ciboulette. Servez sans attendre.

La tête-de-moine est un fromage suisse à pâte pressée qui se consomme par petites rosettes obtenues en raclant le fromage, ce qui développe ses arômes.

Tartines de magret, pommes et tête-de-moine

POUR 12 TARTINES
PRÉPARATION : 15 MIN

- > 3 pommes acidulées
- > 12 tranches de pain de campagne
- > 50 g de noix
- > 24 tranches de magret de canard séché
- > 24 rosettes de tête-de-moine
- > 2 cuill. à soupe d'huile d'olive
- > 1 cuill. à soupe d'huile de noix
- > sel et poivre du moulin

1. Préchauffez le gril du four. Lavez les pommes et coupez-les en fines lamelles. Placez les tranches de pain sous le gril du four jusqu'à ce qu'elles soient dorées.

2. À l'aide d'un gros couteau concassez les noix. Garnissez les tartines de 2 tranches de magret de canard, puis répartissez les rosettes de fromage, les noix et les lamelles de pommes. Arrosez d'huile d'olive et d'huile de noix, salez, poivrez et servez sans attendre.

Toasts de foie gras, figues et baies roses

POUR 12 TOASTS
PRÉPARATION : 30 MIN
CUISSON : 15 MIN
RÉFRIGÉRATION : 30 MIN

> 1 pain aux céréales de 250 g
> 3 figues fraîches
> 1 bloc de foie gras de canard de 200 g
> 1 poignée de baies roses
> 1 cuill. à café de sel de Guérande
> quelques feuilles de cerfeuil

Pour la confiture de figues

> 10 figues mûres
> 20 g de beurre
> 3 cuill. à soupe de sucre en poudre ou de cassonade

1. Préparez la confiture. Lavez les figues, ôtez le pédoncule, puis coupez-les en gros dés. Dans une poêle, faites fondre le beurre, puis déposez les morceaux de figues. Mélangez bien le tout, puis ajoutez le sucre. Faites cuire 10 minutes à feu doux et versez 3 cuillerées à soupe d'eau. Laissez fondre l'ensemble encore quelques minutes, puis mixez la préparation au robot et laissez refroidir 30 minutes au réfrigérateur.

2. Préchauffez le gril du four. Coupez le pain en tranches fines, puis faites-les griller jusqu'à ce qu'elles soient légèrement dorées. Lavez les figues et détaillez-les en lamelles. Découpez le foie gras en lamelles. Dans un mortier pilez grossièrement les baies roses.

3. Sur chaque tartine encore chaude, étalez de la confiture, des figues fraîches et 1 ou 2 lamelles de foie gras. Parsemez de sel et de baies roses écrasées. Décorez de cerfeuil et dégustez aussitôt.

Pour plus de facilité, demandez à votre boucher de trancher le veau à la machine à jambon. Cette recette peut aussi se réaliser avec du jambon de Parme en chiffonnade.

Toasts de carpaccio de veau et cèpes

POUR 12 TOASTS

PRÉPARATION : 25 MIN

CUISSON : 10 MIN

> 250 g de veau très maigre, quasi ou filet
> 1 gousse d'ail
> 300 g de cèpes frais ou surgelés
> 2 cuill. à soupe d'huile d'olive + 1 filet pour servir
> 3 cuill. à soupe de mayonnaise
> 1 cuill. à soupe de jus de citron
> 4 grandes tranches de pain de campagne
> 50 g de copeaux de parmesan
> sel, fleur de sel et poivre du moulin

1. Mettez le veau au congélateur pendant environ 30 minutes.

2. Pendant ce temps, pelez et hachez l'ail finement. Nettoyez les cèpes, coupez-les en morceaux et faites-les sauter dans l'huile d'olive pendant 10 minutes, jusqu'à ce qu'ils perdent leur eau et soient légèrement dorés. Laissez-les refroidir, puis hachez-les. Mélangez-les avec la mayonnaise et le jus de citron, salez, puis réservez au frais.

3. Préchauffez le gril du four. Faites dorer les tranches de pain, tartinez-les du mélange aux cèpes et coupez-les en trois. Découpez de fines tranches de veau et disposez-les sur les tartines. Parsemez de copeaux de parmesan, puis versez 1 filet d'huile d'olive, parsemez de fleur de sel et de poivre.

Vous trouverez facilement du carpaccio tout prêt, chez le boucher par exemple, mais vous pouvez aussi le préparer vous-même. Pensez alors à mettre la viande au congélateur pendant environ 1 heure, afin de pouvoir découper des tranches très fines, à l'aide d'un trancheur ou d'un couteau bien aiguisé.

Tartines de carpaccio de bœuf au parmesan

POUR 12 TARTINES
PRÉPARATION : 15 MIN
MARINADE : 2 H

- 200 g de carpaccio de bœuf
- 20 cl d'huile d'olive
- 12 tranches de pain de campagne ou au levain
- 80 g de parmesan râpé en copeaux
- 1 petit bocal de câpres
- quelques feuilles de basilic
- sel et poivre du moulin

1. Dans un plat creux, déposez le carpaccio de bœuf. Salez, poivrez et versez la moitié de l'huile d'olive. Laissez mariner au frais pendant 2 heures.

2. Pendant ce temps, dans une poêle, faites chauffer le reste de l'huile d'olive et mettez à dorer les tranches de pain à feu doux pendant 5 minutes.

3. Disposez, sur chaque morceau de pain, 1 tranche de viande, quelques copeaux de parmesan et 1 câpre, puis parsemez de basilic.

Afin de renforcer encore le goût de l'orange, prélevez quelques zestes que vous ajouterez à la marinade. Pour varier, remplacez les oranges par des pamplemousses roses ou jaunes.

Tartines de petites sardines

POUR 12 TARTINES
PRÉPARATION : 35 MIN
MARINADE : 2 H

> 6 oranges
> 1 citron
> 2 gousses d'ail
> 6 sardines fraîches
> 2 cuill. à soupe de persil ou de cerfeuil
> 1 cuill. à café de sel fin
> 3 cuill. à café de baies roses
> 3 cuill. à soupe d'huile d'olive
> 1 baguette au sésame
> 100 g de roquette

1. Pressez les jus de 2 oranges et du citron, puis versez-les dans un plat creux. Pelez et hachez les gousses d'ail. Passez les sardines sous un filet d'eau froide. Séchez-les avec du papier absorbant et coupez-les en deux dans la longueur. Lavez et ciselez le persil ou le cerfeuil. Dans le plat, ajoutez le sel, les baies roses, le persil ou le cerfeuil, l'huile et l'ail. Disposez les filets de sardine dans le jus d'agrumes, puis laissez mariner 2 heures au frais, en les retournant plusieurs fois.

2. Préchauffez le gril du four. Découpez la baguette en 12 tranches, puis passez celles-ci sous le gril, jusqu'à ce qu'elles soient légèrement dorées. Pelez les oranges restantes à vif et prélevez des quartiers.

3. Disposez sur chaque tranche de pain 1 ou 2 quartiers d'orange, 1 filet de sardine et 1 feuille de roquette.

Pour rester dans la tradition scandinave, utilisez du pain noir ou du pain de seigle coupé en très fines tranches. Cette tartinade peut aussi être utilisée seule pour tremper des bâtonnets de légumes crus : carottes, radis ou céleri.

Tartines de maquereau fumé et radis roses

POUR 24 TARTINES

PRÉPARATION : 20 MIN

> 1/2 bouquet d'aneth
> 1 botte de radis roses
> 2 filets de maquereau fumé (environ 200 g)
> 100 g de fromage frais à tartiner
> 2 cuill. à soupe d'huile d'olive
> le jus de 1 citron
> 1 pain de seigle
> poivre du moulin

1. Lavez et séchez l'aneth. Lavez et équeutez les radis, puis coupez-les en fines rondelles.

2. Dans un bol, émiettez le maquereau, mélangez-le au fromage frais, puis écrasez le tout à la fourchette – ou très rapidement au robot pour conserver une texture assez épaisse. Incorporez l'huile d'olive et le jus de citron. Poivrez.

3. Coupez le pain de seigle en 12 tranches, puis recoupez chaque tranche en deux dans la diagonale. Étalez la tartinade au maquereau, disposez les rondelles de radis ainsi que les brins d'aneth et servez.

Des tomates, des olives et des câpres, et c'est l'Italie qui s'invite à votre table !

Tartines de thon, tomates et câpres

POUR 12 TARTINES
PRÉPARATION : 15 MIN
CUISSON : 15 MIN ENVIRON

- > 3 tomates
- > 1 baguette de campagne
- > 2 gousses d'ail
- > 1 boîte de thon à l'huile en conserve
- > 3 cuill. à soupe d'huile d'olive
- > 12 petites olives violettes
- > 1 cuill. à soupe de câpres
- > sel et poivre du moulin

1. Portez une grande casserole d'eau à ébullition. Plongez-y les tomates 30 secondes, puis égouttez-les. Laissez-les tiédir.

2. Pendant ce temps, découpez 12 tranches de baguette en biais. Pelez les tomates, puis épépinez-les et hachez-les grossièrement. Pelez et hachez les gousses d'ail. Égouttez le thon.

3. Dans une poêle, faites chauffer l'huile d'olive. Faites revenir l'ail pendant 5 minutes. Ajoutez les tomates et prolongez la cuisson 5 minutes. Incorporez les olives, les câpres et le thon, puis laissez mijoter 2 minutes. Salez, poivrez et recouvrez les tartines de la préparation.

Blinis tout verts au saumon fumé et au fromage

POUR 12 BLINIS
PRÉPARATION : 25 MIN
CUISSON : 5 MIN

Pour les blinis

> 1 bouquet d'estragon
> 1 yaourt nature
> 1 œuf
> 150 g de farine
> 1/2 sachet de levure chimique
> 3 pincées de sel
> 10 g de beurre

Pour la garniture

> 100 g de fromage frais à tartiner
> 10 cl de crème fraîche liquide entière bien froide
> 200 g de saumon fumé
> poivre du moulin ou poivre du Sichuan

1. Préparez les blinis. Lavez l'estragon, puis effeuillez-le. Réservez 12 feuilles puis, à l'aide d'un robot, mixez le reste avec le yaourt et 3 cuillerées à soupe d'eau jusqu'à obtention d'une sauce verte. Cassez l'œuf en séparant le blanc du jaune. Dans un saladier, fouettez la farine avec la levure et le sel, puis ajoutez le jaune d'œuf et le yaourt à l'estragon. Montez le blanc d'œuf en neige, puis incorporez-le délicatement à la pâte.

2. Dans une poêle antiadhésive, faites fondre le beurre, puis étalez des cuillerées à soupe de pâte. Faites-les cuire 2 minutes, puis retournez-les et poursuivez la cuisson 1 minute. Procédez en plusieurs fois au besoin.

3. Préparez la garniture. Fouettez le fromage frais avec la crème fraîche jusqu'à ce que le mélange soit mousseux. Coupez le saumon fumé en petites tranches. Disposez une noix de crème sur chaque blini, ajoutez le saumon fumé, poivrez et décorez d'une feuille d'estragon.

Sortez les rillettes de crevettes du réfrigérateur longtemps à l'avance : elles doivent être servies à température ambiante pour s'étaler facilement sur le pain. Ces rillettes ne se conservent pas plus de 2 semaines au réfrigérateur.

Tartines de rillettes de crevettes

POUR 24 TARTINES
PRÉPARATION : 30 MIN
CUISSON : 1 H

- > 1 kg de crevettes roses
- > 1 pincée de piment de la Jamaïque
- > 1 pincée de noix de muscade en poudre
- > 1 pincée de piment de Cayenne
- > 350 g de beurre
- > 1 petit pain complet tranché
- > sel et poivre du moulin

1. Préchauffez le four à 150 °C (therm. 5). Décortiquez les crevettes. Mettez-les dans un plat, puis ajoutez les épices, salez, poivrez et mélangez bien le tout. Dans une petite casserole, faites fondre les trois quarts beurre. Versez-le sur les crevettes, mélangez, couvrez et enfournez pour 1 heure.

2. Laissez les crevettes tiédir. Gardez les plus petites entières et hachez grossièrement les autres. Rectifiez l'assaisonnement, si nécessaire. Faites fondre le reste du beurre. Ébouillantez 4 ramequins, puis jetez l'eau. Répartissez les crevettes, puis versez le reste de beurre fondu de manière à les recouvrir complètement. Réservez au frais.

3. Tartinez les rillettes de crevettes sur des tranches de pain complet et servez.

Originales et pleines de fraîcheur, les saveurs de ces tartines vous étonneront...

Tartines de crabe, avocat et clémentine

POUR 12 TARTINES

PRÉPARATION : 15 MIN

> 6 tranches de pain noir
> 3 moitiés d'avocats bien mûrs
> 1 cuill. à café de piment d'Espelette
> 3 clémentines
> 100 à 125 g de chair de crabe en conserve
> 1 poignée de feuilles de basilic
> 1 cuill. à soupe d'huile d'olive
> sel et poivre du moulin

1. Coupez les tranches de pain en deux de manière à obtenir des triangles. À l'aide d'une cuillère, prélevez la chair d'avocat, puis écrasez-la à la fourchette. Ajoutez la moitié du piment d'Espelette, salez, poivrez et mélangez bien le tout.

2. Épluchez les clémentines et divisez-les en quartiers. Égouttez la chair de crabe. Lavez et ciselez les feuilles de basilic

3. Tartinez les tranches de pain de la préparation à l'avocat. Déposez sur chacune 2 ou 3 quartiers de clémentine, un peu de crabe, du basilic et versez l'huile d'olive. Saupoudrez du piment d'Espelette restant et servez.

Bien loin du tarama du commerce à la couleur rose pimpante, vous serez surpris par le goût acidulé et la couleur bien plus naturelle du tarama maison. Servez-le avec des blinis tièdes : un vrai régal !

Mini-blinis au tarama maison

POUR 24 MINI-BLINIS

PRÉPARATION : 15 MIN

> 1 poche d'œufs de cabillaud fumés de 200 g
> 3 cuill. à soupe de crème fraîche épaisse
> le jus de 1/2 citron
> 2 cuill. à soupe d'huile d'olive
> 24 mini-blinis
> poivre du moulin

1. Retirez les œufs de cabillaud de la poche. Dans le bol d'un robot, mélangez-les avec la crème fraîche, le jus de citron et l'huile d'olive. Mixez le tout jusqu'à obtention d'une crème épaisse et lisse. Poivrez généreusement, puis mixez de nouveau.

2. Faites tiédir les mini-blinis sous le gril du four, puis tartinez-les de tarama maison. Vous pouvez garder ce tarama au réfrigérateur pendant 1 semaine dans une boîte hermétique.

Bruschettas de calmars à la tomate

POUR 12 BRUSCHETTAS
PRÉPARATION : 30 MIN
CUISSON : 30 MIN

> 400 g de calmars
> 5 tomates roma
> 1 oignon
> 1 gousse d'ail
> 2 cuill. à soupe d'huile d'olive
> 4 branches de thym
> 1 feuille de laurier
> 12 tranches de pain de campagne
> sel et poivre du moulin

1. Préchauffez le gril du four. Lavez les calmars, séchez-les avec du papier absorbant, puis retirez les tentacules et la peau. Détaillez les corps en anneaux de 1 cm d'épaisseur. Lavez les tomates et coupez-les en dés de 2 cm de côté. Épluchez l'oignon, puis émincez-le finement. Pelez la gousse d'ail et coupez-la en deux dans la longueur.

2. Dans une cocotte, faites chauffer l'huile d'olive à feu doux. Ajoutez l'oignon émincé et les dés de tomate, puis faites revenir le tout pendant 10 minutes. Ajoutez le thym, le laurier et les anneaux de calmar, assaisonnez de sel et de poivre, couvrez, puis laissez cuire pendant 20 minutes.

3. Faites dorer les tranches de pain sous le gril du four, puis frottez-les avec la gousse d'ail. Garnissez les tranches de pain de la préparation aux calmars et servez aussitôt.

N'oubliez pas de supprimer le porto de la liste des ingrédients s'il y a des enfants parmi vos invités !

Blinis aux œufs brouillés et aux œufs de saumon

POUR 12 MINI-BLINIS
PRÉPARATION : 15 MIN
CUISSON : 10 MIN

> 30 g de beurre
> 8 œufs très frais
> 2 cuill. à soupe de porto
> 12 mini-blinis
> 1 pot d'œufs de saumon
> 1 cuill. à soupe de ciboulette
> sel et poivre du moulin

1. Coupez le beurre en petits morceaux. Dans une casserole à fond épais, cassez les œufs, salez, poivrez, puis ajoutez la moitié du beurre. Faites cuire à feu moyen en fouettant constamment jusqu'à ce que les œufs prennent une consistance crémeuse. Retirez du feu et incorporez le beurre restant.

2. Versez le porto, puis fouettez encore quelques instants. Lavez et ciselez la ciboulette. Faites tiédir les mini-blinis sous le gril du four, puis garnissez-les de 1 cuillerée à café d'œufs brouillés. Parsemez d'œufs de saumon et de ciboulette, puis servez.

Direction éditoriale : Véronique de Finance-Cordonnier
Édition : Marion Pipart
Direction artistique : Emmanuel Chaspoul
Réalisation : Belle Page, Boulogne
Couverture : Véronique Laporte
Fabrication : Annie Botrel

Crédits photographiques : p. 4, 5, 14, 15, 38, 39, 44, 45, 48, 49 : Fabrice Besse © coll. Larousse (Stylisme : Noëmie André) ; p. 25, 37, 41-43 : Caroline Faccioli © coll. Larousse (Stylisme : Sabine Paris) ; p. 9, 13, 22, 23, 26, 27, 31, 34, 35, 55-57 : Marie-José Jarry © coll Larousse (Stylisme : Bérengère Abraham) ; p. 11, 19, 33, 50, 51, 58, 59 : Massimo Pessina © coll. Larousse (Stylisme : Rosalba de Magistris) ; p. 6, 7, 17, 21, 28, 29, 47, 53 : Amélie Roche © coll. Larousse (Stylisme : Manuella Chantepie).

L'éditeur remercie pour le prêt de linge et d'objets : ASA (www.asa-selection.com), Coming B (wwwcomingb.fr), Fleux, 39 et 52 rue sainte Croix de la Bretonnerie 75004 Paris (01 42 78 27 20), Léonardo (www.leonardo.de), Montgolfier (wwwmontgolfier.fr), Linge au Cœur (www.lingeaucoeur.com), Ressources (www.ressources-peinture.com), Emery (www.emeryetcie.com), Villa Paris (01 42 74 07 05), La Cabane de l'Ourse (www.lacabanedelourse.com), La Forge Subtile, 11 rue de l'odéon 75006 Paris (01 40 51 09 30), Mis en Demeure (www.misendemeure.com), La Maison des Rêves (www.maisondesreves.com), La Compagnie Française d'Orient et de Chine (www.cfoc.fr), Jeannine Cros (01 45 48 00 67), Clotilde Buschini (01 45 44 30 11), Caravane (www.caravane.fr), Wooden (www.woodenlist.com) et Mme Mylène Demongeot pour le prêt de la brocante (www.mylene-demongeot.fr).
Et l'éditeur remercie tout particulièrement Véronique Jean pour sa participation efficace.

ISBN : 301-0-00-000281-9

Photogravure Turquoise, Émerainville
Imprimé en Chine par Leo Paper Products
Dépôt légal : septembre 2010
304 609/01-11011873-avril 2010